뿌리내리는 아이들

뿌리내리는 아이들

발 행 | 2023년 12월 22일
저 자 | 장지연, 신성원
펴낸이 | 한건희
펴낸곳 | 주식회사 부크크
출판사등록 | 2014.07.15.(제2014-16호)
주 소 | 서울특별시 금천구 가산디지털1로 119 SK트윈타워 A동 305호
전 화 | 1670-8316
이메일 | info@bookk.co.kr

ISBN | 979-11-410-6031-2

www.bookk.co.kr

뿌리내리는
아이들

장지연, 신성원 엮음

차 례

'뿌리내리는 아이들' 발간을 축하합니다.

12월이 되면 선생님들은 무척 바빠집니다. 우리 반 아이들이 1년 동안 어떤 것들을 배웠는지, 생활 태도는 어떻게 달라졌는지, 앞으로 어떤 점이 기대되는지 등 학교생활을 되돌아보고 정리해야 하기 때문입니다.

그런데 바쁜 시기임에도 1학년 3반과 2학년 2반 선생님과 아이들이 함께 만든 선물이 교장실에 배달되었습니다. 그것은 바로 시집 '뿌리내리는 아이들'입니다. '언제 이런 걸 만들었지?' 너무 반가워서 단숨에 다 읽었습니다. 읽는 내내 교장 선생님의 입가에 미소를 주는 따뜻한 선물이었습니다. 그리고 꾸미지 않은 우리 어린이들의 마음을 엿볼 수 있어서 더욱 좋았습니다.

시집을 읽다 보니 교장 선생님의 어린 시절이 떠올랐습니다. 아주 오래전 일인데 지금도 겨울이 되면 자주 생각나는 일이 있습니다. 어릴 때 교장 선생님은 무척 가난했습니다. 그래서 용돈을 받아 간식을 사 먹는 것은 생각하지도 못했습니다. 그런데 겨울이 되면 학교 앞 가게에서 파는 붕어빵이 너무 먹고 싶었습니다. 하지만 용돈이 없으니 군침만 흘릴 뿐이었지요. 그러던 어느 날, 슬픈 일이 있었는데 그때를 생각하며 교장 선생님도 시를 한 편 써 보았습니다.

붕어빵

학교 앞 가게에서 붕어빵을 팔고 있다.
사 먹고 싶지만 용돈이 없다.
군침만 흘리고 있는데 친구가 붕어빵을 샀다.

너무 먹고 싶어서 용기를 냈다.
'나 한 입만 줄래?'
'싫어.'

친구가 붕어빵에 침을 뱉었다.
'이래도 먹을래?'
'아니.'

나는 너무 슬펐다.

그 때 친구가 미운 것보다 나 스스로 창피해서 더 슬펐던 것 같습니다. 지금은 따뜻한 붕어빵을 언제든지 사 먹을 수 있어서 행복합니다.

차가운 바람이 불고, 흰 눈이 내리는 겨울입니다. 비록 날씨는 춥지만 우리들이 서로 아끼고 사랑하는 마음을 가진다면 훨씬 따뜻한 겨울을 지낼 수 있습니다. 이번에 발간된 '뿌리내리는 아이들'이 바로 추운 겨울을 따뜻하게 해주는 우리들의 붕어빵이라고 생각합니다. 시집이 발간되기까지 지도해주신 선생님들께 감사드리며 우리 어린이 작가님들에게도 축하의 인사를 전합니다.

'여러분, 멋져요.'

'여러분, 사랑합니다.'

2023년 12월

시집을 읽고 미소 짓고 있는

교장선생님 최갑용

추천하는 글

학교에 처음 들어와 어리둥절하고, 집에만 가고 싶어할 것 같았던 아이들이 어린이 작가가 되어 자신들만의 상상의 터를 넓히고, 그곳에 나무를 심고, 물을 주고, 사랑을 주면서 가꾸고 있습니다.

모든 시를 읽다 보면 웃음을 멈출 수 없습니다.
두 번 읽다 보면 상상을 멈출 수 없습니다.
다시 읽어 보면 학교생활의 즐거움을 알 수 있습니다.
꽃을 사랑하고, 김치를 먹을 수밖에 없습니다.
이 모든 시 속에서 선생님들의 노력이 보입니다.
야호~ 나도 모르게 과거 속으로 여행을 떠나게 됩니다.

나무가 하루하루 성장하며, 자라온 나이테가 나타나듯, 우리 아이들의 성장의 나이테를 볼 수 있는 소중한 자료인 것 같습니다. 시집 발간을 축하드리며, 나무가 튼튼하게 뿌리내리듯 어린이 작가들의 성장의 뿌리가 튼튼해지고 잎이 자라고, 열매가 맺기를 기원합니다.

2023년
교감선생님 최영민

우리들은 모두 시인이다.

먼저 여는 글을 쓰게 되어 영광입니다. 이 글을 쓰는 지금도 아이들이 시를 배우고 썼던 추억들이 스쳐 지나갑니다. 직접 쓴 동시가 시집으로 엮인다는 소식에 아이들이 기뻐하던 모습, 동시집을 보는 사람들이 시를 감상하며 행복했으면 좋겠다고 입을 모으던 아이들의 모습, 정성을 담아 시를 쓰던 아이들의 모습이 떠오릅니다.

아이들 중 열에 아홉은 문학이 국어에서 가장 어려운 영역이라고 합니다. 다른 국어 영역과 달리 문학은 정해진 답과 끝이 없기에 교사인 저부터도 문학은 뜬구름처럼 잡히지 않는 아득한 영역이라고 생각했습니다. 하지만 아이들과 함께 시를 쓰며 시는 그저 담아내는 것이지, 만들어 내는 것이 아님을 깨달았습니다. 아이들 역시 처음엔 시를 만들어 내려는 생각에 한 편 쓰는 것조차 어려워했지만, 점차 자신의 생각을 그대로 담아내며 한 편 한편 즐거운 마음으로 써 내려갔습니다.

이 과정을 반복하며 시야말로 가장 순수한 생각과 감정을 담을 수 있는 그릇이지 않나 싶습니다. 시의 형태가 어떻든 시를 쓰는 과정, 아이들이 가지고 있는 생각과 감정을 시로 옮기는 과정 그 자체가 성장을 나타내는 지표라는 걸 저도 아이들도 느낄 수 있었던 값진 시간이었습니다.

아이들의 순수한 마음이 담긴 시를 보고 처음에 삐뚤빼뚤한 글씨와 틀린 맞춤법을 고쳐줘야 할까 고민했던 제가 조금은 부끄러워졌습니다. 더불어 이 시집을 감상하는 모든 분들이 형태보다는 아이들의 생각과 감정에 집중하여 〈뿌리 내리는 아이들〉을 감상하셨으면 합니다.

그리고 앞으로도 우리 아이들이 순수한 마음으로 시를 썼던 순간들을 떠올리며, 자신이 썼던 시 한 편을 간직하며 자신의 내면과 개성을 가꿔가는 이로 성장하길 소망하며 이 글을 마칩니다.

2023년 12월

아이들을 사랑하는 마음을 담으며

교사 신성원

제1부 어쩌면 취미가 될지도 몰라

과자

강다온

선생님이 용가리 과자를 먹으니까
선생님 코에서
연기가 마구마구
선생님은 용가리일까

귤

강다온

귤은 말랑말랑 해요,

귤은 맛있어요.
귤은 주황색 이에요.

김치

강다온

김치가 매웠다.

김치를 씹을때 딱딱하다.

그래도

김치가 맛있었다.

물고기

강다온

물고기가 한 바퀴 돌고 있어요.
왜 돌고 있을까?
저도 몰라요.

사랑해

강다온

난 할머니와 할아버지가

너무 좋다!

난 손주딸이니까

12월

강다온

전 겨울이 좋아요.

전 싼타 할아버지가 좋아요.

김치

김라율

김치는 맛있고
매콤하기도 하다
나는 김치가 정말 좋다!
김치 최고!

김라율
나는 눈이 좋다
왜냐면
크리스마스
눈싸움
설매
눈사람!
다 할 거야!
나는 정말정말!
눈이 좋아!..

도자기_기술

김라율

내 기술을 알려줄게
도자기 기술!

빙글 빙글
뱅글 뱅글

내 기술도 알려줄게
예쁜 무늬가 생겨!

돌고래 바다

김라율

나는 돌고래가 귀엽다
왜냐면 점프 해주니깐!

높이 하늘 높이 더더더 높이!
구름 위에서 봉!
저기도 풍덩!
저기는 쏴아아!
우주까지 점프 해줄거지?
끼이익!

김라윤 산타 할아버지

왁 벌써 12월?
빨리빨리!

트리에
오너먼트를 달고
마지막으로 별!
으악 눈부셔! 누구지?
메리메리크리스마스 허허허

시계의 시간

김라율

애들아! 오늘도 열심히움직이자!
시침이 똑딱똑딱!
분침이 째깍째깍!
밥먹는시간
노는 시간
다좋아요!

용가리 과자

김라율

선생님이

용가리 과자를 먹었다

근데 선생님이 엄청

따갑다 했다

근데

나도 먹어 보고 싶다

근데

엄청 따가울것 같다

맛있겠다.

우리 반 친구들

김라율

친구?

친구란

예뻐서 친구?

귀여워서 친구?

아니 아니

우리 반 모든 친구!

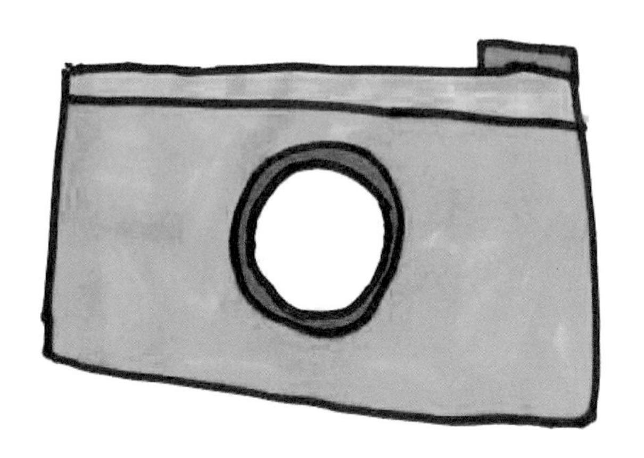

토요일

김라율

난 토요일이 좋다
왜냐하면
두번 쉴수 있으니까!
게임도 하고
과자도 먹고
다 해야지!

겨울

김준수

겨울 하면
크리스마스가 생각 난다.
크리스마스에
당근칼 선물을 받고싶다.

김치

김준수

오늘 김치를 알았다.
오늘은 11월22일
김치의 날이다.

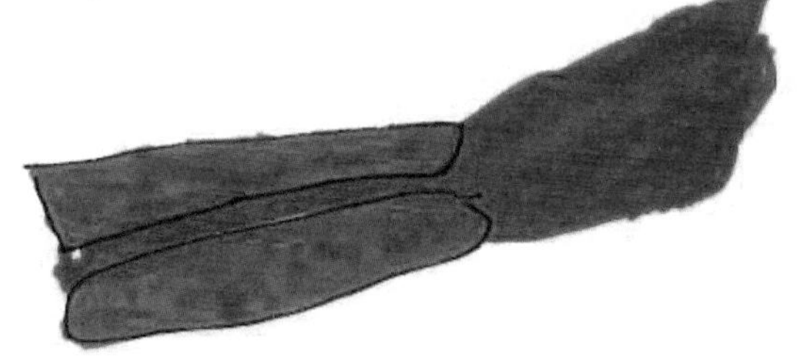

나도_도자기

김준수

나도 도자기 만들 수 있어
너도 만들고 나도 만들어

돌봄교실

김준수

돌봄교실에서
간식 먹는 게
제일 좋다.

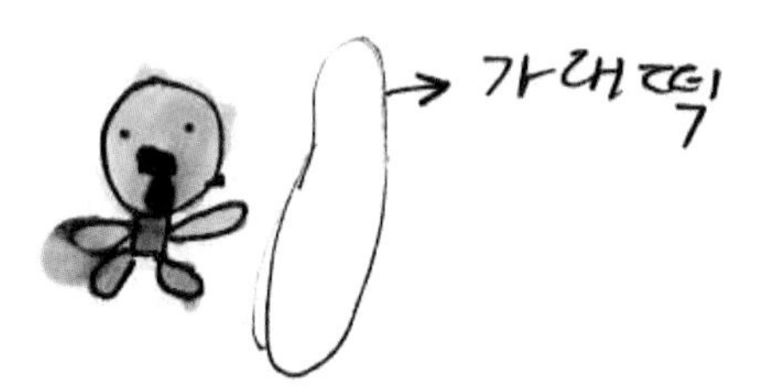

돼지

김준수

돼지가 아침에 밥을 먹고
돼지가 점심에 밥을 먹고
돼지가 저녁에 밥을 먹고

시 간

김준수

돌봄 시간
방과후 시간
수업 시간
점 심시간
쉬는 시간이 제일 좋다

〈내가 아끼는 가방〉

나서윤

가방을 데고 어디로 갈까

안돼!

내가방이 우물 속에 빠졌어!

으애애애.

어? 아저씨 고맙습니다♥

내 친구

나 서윤

내 단짝 친구
다온이는
착하고 예쁘다.
그리고
귀엽다.♡

〈눈 사람〉

나서윤

눈이 오면 아빠랑 썰매도 타고
눈사람도 만들고
눈싸움도 할거야 데헷♡
겨울되면 할게 많아
너도 한번겨울에 떠오르는
놀이를 해봐.

다이어리 꾸미기

나서윤

주말엔
다꾸가 재밌다
너무 너무 신나
어떻게 꾸밀까?

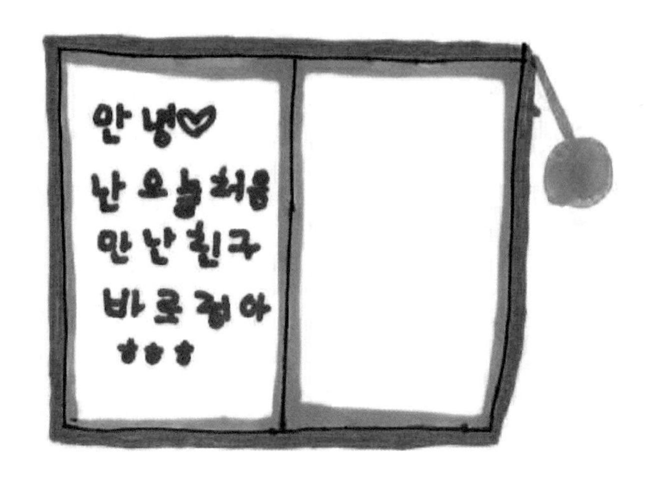

새콤달콤석류

나서윤

새콤달콤 석류 맛있어!
음냠냠
석류로 젤리도
만들어야지
냠냠 맛있다♥
석류로 주스도 만들어 먹어야지♥

<우리 엄마>

나서윤

우리 엄마는 모든걸 척척

엄마! 어떻게 모든걸 해요?

엄마 최고!

크리스 마스

나서윤

우와! 벌써 12월이네!
근데 12월이 지나면
친구들도 못 만나네.
하지만!
노래를 부르면 좋아
흰눈 사이로
썰매를 타고 달리는 기분
상쾌하기도 하다

과학이다 꺄꺄!!!

윤현선

괴물이 다! 꺄! 꺄!
시끄러!
펑! 엥?
내가 언제 잤지?
오늘 따라 몸이 작은 것같네?
꺄!
내 몸이 쥐야

귤 냠냠

문현선

귤 맛있다! 냠냠
귤 요정이야. 난!
귤 먹을래?
응! 난 좋아!
나도 귤 좋아해!
응! 먹자!
어? 이제 잘 시간이네?
넌 안 자?
이따가 잘 거야!

눈 사람

문현선

겨울이다!
애들아 놀자~
눈 사람 만들래?
나는 다른 거 만들래
뭐 만들 거냐면 귤눈 사람

눈이 펑펑

문현선

눈펑펑이제 시작!
눈이펑펑온다
펑펑눈이 예뻐
안녕? 넌 너무 예쁘버서
난 너가 질투나!!!

돌고래

운현선

돌 고래가 예쁘 게 청벙청벙골고래가
인어처럼 청벙청 벙 예 쁘제누굴?
찬는것 같이 첨벙청 벙 말 예쁜말이
나올 지같아 참으 자!

배추김치

박건우

내 똥은 딱딱해서
잘 안나온다.
배추 김치를 먹으면
똥이 잘 나온다는 걸 알게 되었다.

엄마, 배추 김치 주세요!

순대국

박건우

학교에서 순대국이 나왔다
그래서 다 먹었다.
하지만 순대만 먹을거다

시간이좋다 박건우

여러분 안녕히계세요

시간이 좋다

시간이 간식시간으로

가면좋겠다

주산시간에

간식이나오면좋겠다

신비 아파트

박건우

겨울이 될때마다.
신비 아파트엔디고
버전을 보고자요.
재미 없는 데 봐요.

아기돼지

박건우

돼지는 아침 밥 달라고 꿀꿀
돼지는 점심 밥 달라고 꿀꿀
돼지는 저녁 밥 달라고 꿀꿀

엄마나 안씻고 잘래.

의심

박건우

김준수는 마술사한테 의심을 받았다.
나도 의심을 받았는데
둘 다 범인은 아니다.

과학

박정아

내가 신기한 마술 보여줄까?
손에 불이 날 거야!

내가 만든 과학 봐라!
이거 봐 신기하지?

귤

박정아

오늘은 귤껍질로

모양을 만들었다
귤껍질로 또만들고싶다

귤은 참 맛있었다.

김치

박정아

나는 김치를 싫어해
김치는 너무 매워
어디 안 매운 김치 없나
흣! 안 되겠어.
내가 안 매운 김치를 만들어야지!

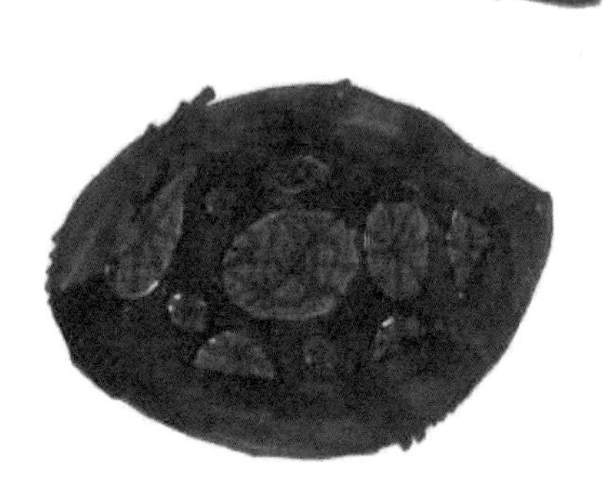

눈이 온다

박정아

어느 날 초겨울
눈이 오는 초겨울

우리반 1-3반

박정아

주사위 놀이

박정아

오늘은 주사위놀이를 했다.
주사위를 던져서 큰수가
나오면 이기는거다

이얏!
아까비 큰수가 나올수 있었는데...
자 내 차례다
이얏! 어, 이상하다
왜 계속 지는거야
힝...

크리스마스

박정아

크리스마스가
빨리 왔으면....

언제 크리스마스가 올까?
빨리 와라!
크리스 마스
내 선물은 비밀!

김치가 좋아요

송유주

김치는
초겨울에 김장을 해요
오래 먹을 수 있어서 좋아요.
김치 최고!

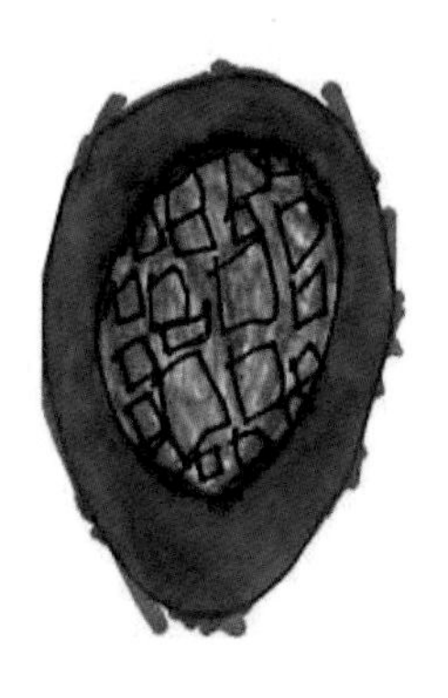

나도 _ 도자기

송유주

오늘 도자기를 만드는 날
나도 도자기를 잘 만들 수 있겠지?

도자기를 만들어야지

잘해보자
좋아!

방과 후

소유주

방과 후는 재미있다.
방과 후에는 친구랑
형님들이 있다.
그리고
선생님도 있으시다.

사탕

송유주

사탕은 맛있는데
그래도
이가 썩을 수도 있으니까
조금만 먹어야 한다

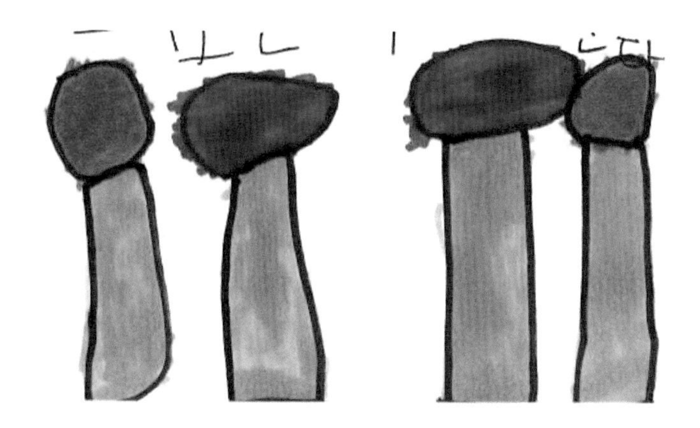

파도 타는 사람

송유주

여기 봐.

저기 파도를 잘 타는
사람이 있어
파도 진짜 잘 탄다.
그리고 저기 파도 맨 위에
물이 구름처럼 되었어.

썰매

송유주

썰 매를 타는 겨울
재미있지만
그래 도
감기가걸릴수있으니까
조심 해야지

크리스마스트리

수유주

크리스마스에는
트리를 장식한다.
트리는
큰것도있고
작은거 도있다.

감귤 기차

이서진

감귤 기차가 칙칙폭폭 달렸다.
감귤 기차는
첫눈이 오는 날에 온다.

도자기 - 기분

이서진

<맛있는 급식>
이세진
나는 급식시간이 좋다.
급식은 맛있다.
내가 좋아하는 반찬은 순대국이다
역시우리 학교급식이 최고다!

배달음식

이서진

어제 배달음식을 먹었다.
뭘 먹었냐면
황금올리브 치킨이랑
페퍼로니 피자랑
맥도날드 햄버거

〈쇼핑〉

이서진

쇼핑을 했다.
엄마랑 형아랑 갔다.
나는 빨간 잠바, 형아는 파란 잠바
그래서 좋았다.

〈신기해〉

이서진

콜라가 사이다로 바뀐다.
손에 불을 붙여 팝콘을 만든다.

축구장

이서진

축구장에 사람이 엄청 많았다.
근데 우리나라 축구선수 손흥민이
있었다.

김치

미재한

그냥 김치는 안 먹지만
국에 있는 김치는
맛있어요

김치

눈

이재한

하늘에서 눈이온다
예쁜 눈
내 얼굴에도
예쁜 눈이 있지

도자기_기역

이재환

도자기에는
내가 좋아하는
ㄱ이 들어있다

도자끼

크리스크리스마스
마스크리스마스

크리스마스이 재한
크리스마스

기다려지는
크리스마스
산타할아버지
선물도 받고
행복한
크리스마스

학교 쉬는 날

이재한

학교 쉬는 날
늦잠도 자고
축구도 하고

야호! 신난다.

공기 대포

임우빈

공기대포 쏠 때
동그라미 나왔다

시원한 공기 대포

귤

임우빈

귤 껍질로 모양을 만든게
제일 재밌재미있었다
점심 시간에
라이언 먹을거다.

김치

임우빈

겨울에 김장을 한다

김치는 아삭아삭 하다

눈

임우빈

점심시간에 눈이 왔다.
눈사람을 만들고 싶다.

눈싸움을 하고도 싶다.

크리스마스

임유빈

크리스마스 12월 겨울이다

내가 제일 좋아한다
크리스마스

필승 코리아

임우빈

오늘은 축구를 보러 갔는데
사람이 많다.
축구를 보다 한 골을 넣어서
정말 신났다.

1대 0으로 이겨서 정말 좋다.

학교

임우빈

학교에서 친구들을 만난다
나는 점심시간이 제일 좋다

거미

임지우

나비가 거미에게 날아가네?

……

거미줄에 걸렸다.

거미가 나비에게 다가가더니…

잡아먹었다.

다 먹고 나서는 다시 거미줄에

매달린다.

거미를 잡아 보려 했지만

거미줄로 도망쳤다.

힝 잡고 싶었는데…

김치

임지우

어? 이 반찬은 빨강색이네

한번 먹어볼까?

냠냠, 아삭아삭

으악! 매워!

이 반찬은 왜 맵지?

물! 물! 물!

눈

임지우

눈은 왜 색깔이 하얗색일까?
눈은 왜 차가울까?
눈은 왜 겨울에 오는걸까?
나는 아무래도 눈이 좋다

방과후

임지우

수업이 끝나고 방과후 교실로 간다.

방과후 수업이 끝나면

놀이터에서 논다.

4시에는 집에 간다.

내일은 방과후 없다!

나는 학교가 좋다.

방과후보다.

시계

임지우

어? 시겨에 하나는 빠르게 움직이고, 두개
는 느리개 움직이네?
빠르게 움직이는 것은 (초침)이야
두개는 (분침, 시침)이야
아! 그렇구나!

일요일

임지우

주말에 뭐하고 놀지?

놀이터 가서 놀아야지

응...... 아니야!

그냥 집에서 쉬자.

크리스마스

임지우

크리스마스하면 생각나는것
산타
눈
루돌프

귤

정윤

첫눈이 오면
귤을 먹어서 좋다.

산딸기

정윤

산딸기는 따서 먹으면
맛있다.

산딸기는 달콤하고 맛있다.

쉬는 시간이 좋아요.

정윤

수는 시간이 좋은데
10분 밖에 없어서
아쉬워요.

쉬는 시간이다.

10분 밖에 없어

주말

정윤

주말에 는 나가서 서진이
랑춘수랑놀라다.

주말에는 게임을한다.

그래서 주말이 좋다.

크 리스마스

정윤

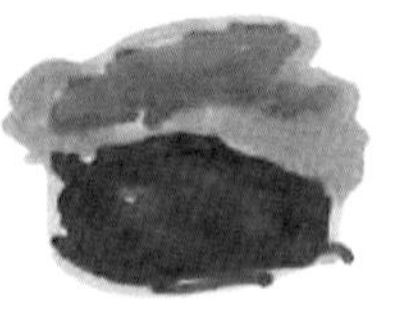

크리스마스 에
눈이 와서 좋아요.

크리스마스 에는
선물을 준다.

학교

정은

학교 급식은 진으로 맛있다.

특히 맛있는 건

김치
밥
호떡

밥이 짱!

감귤기차

조현서

감귤기차가 움직여

감귤 기차가 칙칙폭폭

감귤 기차는상큼 한향이나

나는귤이좋아.

김치 없이못 살아

조현서

김치는 맛있어

김치는 밥의 짝꿍

김치 짱!!!

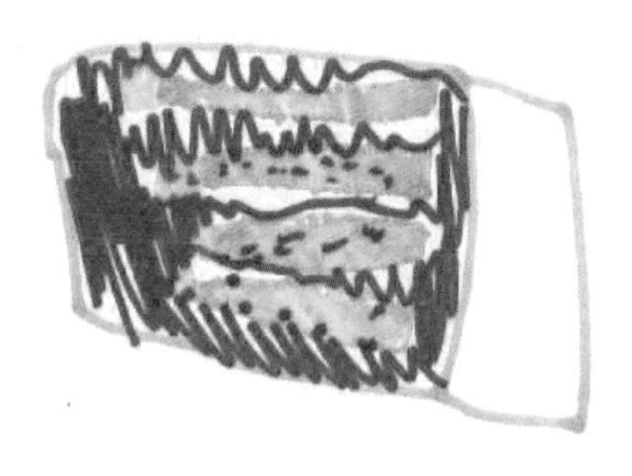

놀이터

조현서

놀이터를 가볼까

그네가 흔들흔들
그네를 타볼까?

흔들다리를 타볼까?
재밌다.

산타 할아버지

조현서

허허허
와, 산타 할아버지다!
어떤 선물을 줄 까?
레고? 아니, 아니.
친구의 선물은 눈이다, 허허허
와! 눈이다.

요가

조현서

요가를 해볼까?

팔을 쭉
와! 시원해
이번엔 고개를 쭉
와! 더 시원해
어! 아팠던 곳이 안 아파
와 신기해
이번엔 다리를 쭉
와! 다리도 안 아파 신기해

크리스마스가 좋아

조현서

와, 눈이온다

빨리 선물 갖고싶다

트리를 꾸며야

산타 할아버지가 오겠지

크리스마스 트리가 좋아

선물아, 기다려

내가 간다!

학교가 좋아

조현서

오늘은 학교에서 뭐할까?
궁금해 국어수업이네.
쉬는 시간에 뭐할까?
놀이터를 갈까 아니면
놀이를 할까?
어! 종이 쳤네
학교가 좋아
선생님 사랑해요.

감귤이 맛있어

최한벽

라이언 감귤이 맛있어.

콩벌레 감귤이 맛있어.

귤 안고 있는 사람귤도 맛 있어.

달팽이 귤도 맛 있어.

감귤이 맛있어.

도자기 — 기린 나라

최한명

도자기로 만든 기린이 서있어.
도자기로 만든 기린이 앉자있어.
도자기로 만든 기린이 자고있어.
도자기로 만든 기린이 뭘 먹고있어.
도자기로 만든 기린이 다시 자.

도자기

최한별

도자기가 예뻐
내가 원하는 도자기 모양이 있지만
그건 바로 토끼!
토끼는 뭔가 만들기 어려울 것 같아
그래도 토끼 모양이 좋아.
미니 하트 모양도.

크리스마스 트리

최한별

크리스마스하면
트리가 생각나
트리는 예쁘고 반짝반짝해
트리는 예뻐

♥메리크리스마스♥

팝콘

최한별

조금 차있는 팝콘이 펑

중간 차있는 팝콘이 펑펑

많이 차있는 팝콘이 펑펑펑

엄청 많이 있는 팝콘이 펑펑펑 펑

팝콘이 펑펑펑펑

학교종

최한별

쉬는시간 종이 따르릉

쉬는시간 이네

우리 마트놀이하자!

수업시간 종이 따르릉

얘들아 국어책 꺼내!

힝! 수업시간

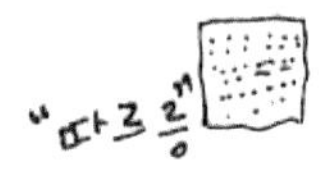

학습지

최한별

쉬는날은 쉬고싶은데

맨날 학습지만 해야해서 싫어

근데 머리가 똑똑 해지니 가 좋아

쉬는날 학습 지는 좋은데 싫어

귤

최연

학교에서귤 껍질로
마들기를 했다
귤빌레도 만들었다
또 하고싶다.
재미있다.

눈

최현

눈은 차갑다

그래서 눈싸움을 했다
재미있다.
그리고 썰매장도 갔다.
재미있다
너~무 재미있다
가족이랑 노니까 재미있다
다시 가고 싶다
다음에 또 가야 겠다.

달팽이

최현

오늘연못에서 달팽이를 봤다
나는 집으로 가서 키우기로 했다
엄마가 뭐야?라고 물어봤다
내가 얘기했다 달팽이라고
그러자 엄마는 대답했다.
일주일만 키우고 있던자리에 놓으라고

도자기_기차

최현

도자기는 재미있다
왜냐하면 재미있으니까
재미있겠지
도자기로 기차도 만들었다
재미있다.

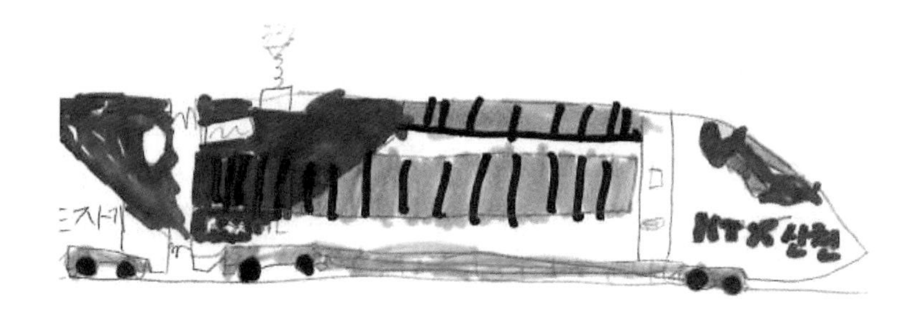

순대국

최현

순대국이 오늘 급식에 나왔다
그다음 날에도 나왔고 또또또!
언제까지 나오는 거냐고!
내일은 다른 게 나왔으면…
좋겠지만
역시 내일도 순대국이다
이젠 순대국 그만 나오라고!
이제 난 국 남길 꺼야!
나 이제 국 안 먹어!

재미있는 시간

최현

초침은 약속이 있나
엄청 빠르다
분침은 쫌 느리다
왜 느린 지 모른다
마지막은 시침이다.
시침은 너무 느리다.
너무 느리다고 해도 엄청 느리다.
열심히 시간을 연습해야 하겠다.
재미있다.

축구 최현

형아랑 놀이터에서 축구를 했다
재미있어서
다음날에도 하고, 또하고
재미있다
어쩌면 취미가 될지도몰라
다음에 또 해야겠다.

크리스마스..의 선물

최현

크리스마스가 찾아 왔다
선물이 무엇일 까?
기차 모형이면 그건 어차피
50만원 넘으니까 안 되겠지?
엄마한테 말 했는데
진짜 안사준다니 너무해.
이번엔 아빠한테
물어봤는데 사준다고 했다.
좋다.

제2부

속상한 바나나는 혼자 집에서 살았다

바나나-바늘

—강예환

맛있게 생긴 바나나에 바나나껍질을
벗겨서 그 바나나 껍질에
바늘로 구멍을 송송송
내서 보니 환공포증
생길거 같아서
살짝 무서운것 같기도 하고?
에이 나만에 착각일거야!

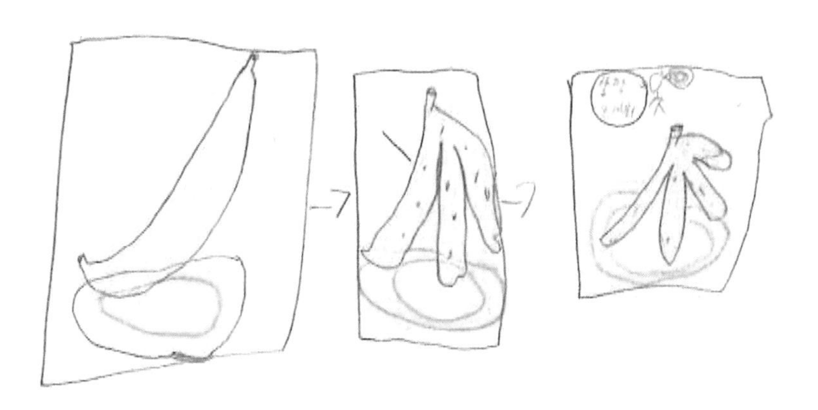

곤충박사_곤충 박물관 -강예원-

으~~곤충만 보면
무서워
초파리는
괜찮지만
너무무서워 다른 건
~~
^
넘 무서
~~
^

국어시간 — 국어활동

— 강예원 —

오늘 1교시에 우리는 국어시간을 오늘도 했다.
근데 국어 가, 국어 나, 국어활동 중에서도
오늘은 국어를 했다 그래서
오늘은 주요내용을 찾았다.
뭐 그런 날이였다.

체육시간 — 체육활동

오늘 2교시에는 강예관 별빛놀이실에서

체육(놀이)을 했다.

풍선 고드름 얼음 땡도 하고,

여우와 닭도 하고,

마지막으로 무궁화 꽃이 피었습니다를

했었다.

수학시간_수학익힘_수학선생님

학교에서는 수학 시간이 있다.
그때마다 수학선생님이 오신다.
만 월,목만이다. 그래서 지금은
수학,수학익힘책이 있다.
그래서 나는 젤 좋아하는
과목은 수학이다.

시간_시간 타입

나는 밥을 먹고 날마다
자유롭게 시간을 보낸다.
근데 시간 타입이 있다.
바로 오후 9시 30분~10시 안에서
말이다. 나는 10시에 딱
눕고 싶다. 시간은 금

방울_방울토마토 -강예은

나는 갑자기 고양이 목에
방울을 달았어
내가 바닥에 손전등을 켰는데
고양이가 날라 다니면서
짤랑짤랑 소리가 나는거야
방울에서 근데 그 방울을
보니 왠지 모르게 배고픈거야
그래서 방울토마토가 땡겼지 끝

공룡 – 공놀이

-강예원-

공룡아 뭐하니?
좀 신나 보이는데?

어~ 맞아 난
공놀이를 하고 있거든
근데 엄청 신나진 않아
왜?
난 같이 공놀이할사람이
없거든 그럼우리랑 같이 해!

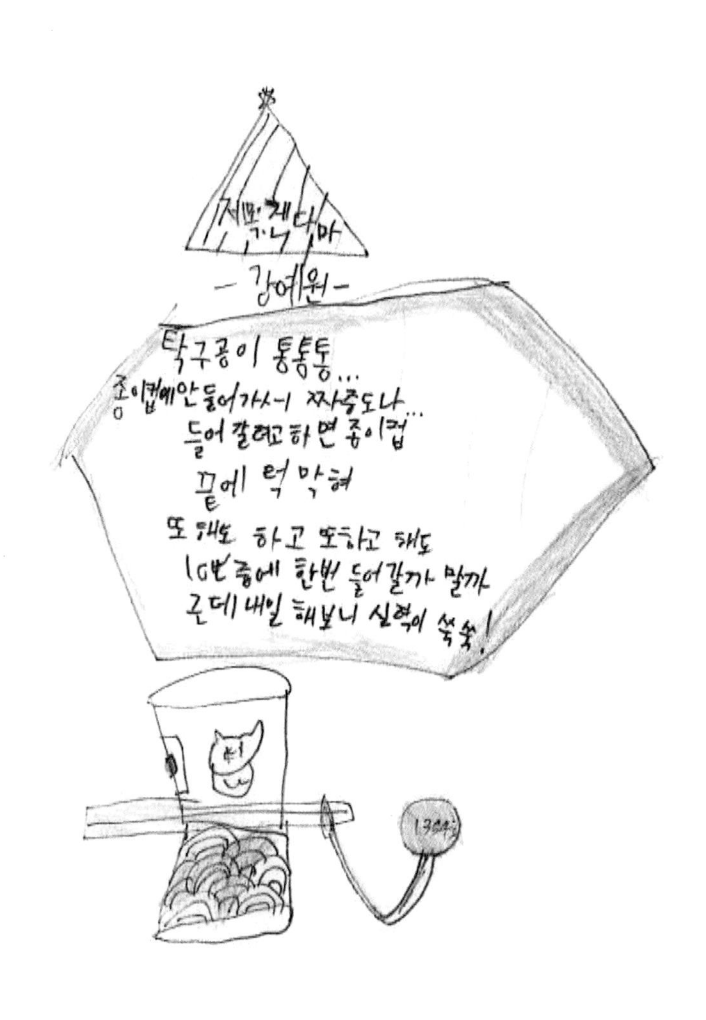
- 강예원 -
탁구공이 뚱뚱뚱
종이컵에 안들어가서 자존도나
들어갈려고 하면 종이컵
끝에 턱 막혀
또 해도 하고 또하고 해도
10번 중에 한번 들어갈까 말까
근데 내일 해보니 실력이 쑥쑥!

지우개_지우개똥_지우개가루

— 강예원 —

맨날 교과 하면 나오는
지우개 가루 그걸 모이면
생기는 지우개 똥

조물조물 해도
겨우 겨우 만들었다.

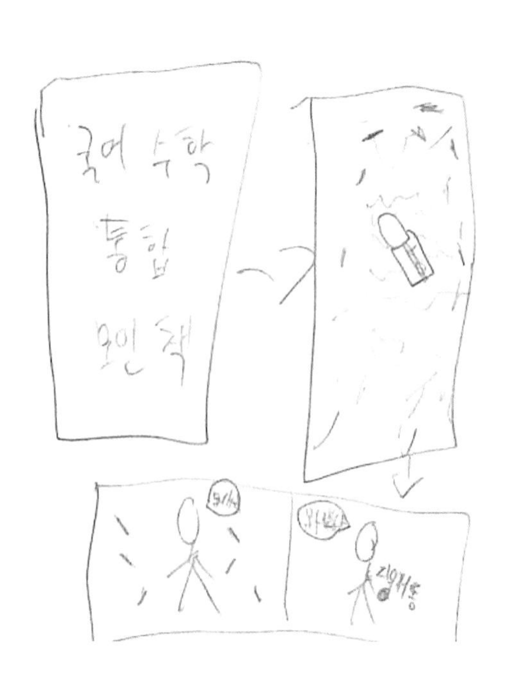

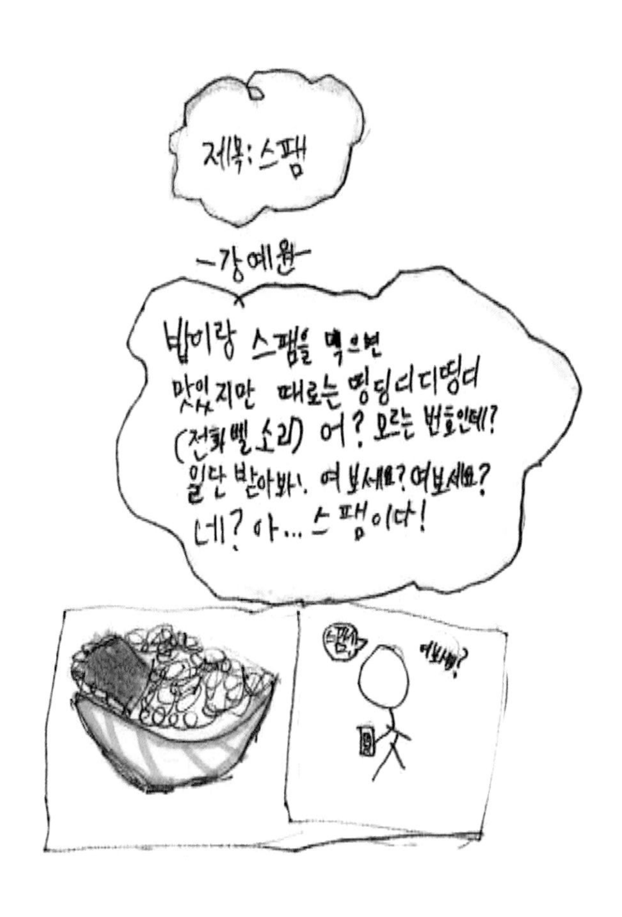
제목: 스팸
-강예원-
밥이랑 스팸을 먹으면
맛있지만 때로는 띵딩디디띵디
(전화벨 소리) 어? 모르는 번호인데?
일단 받아봐!. 여보세요? 여보세요?
네? 아... 스팸이다!
스팸
여보세요?

피아노_피멍

나는 매일 피아노 연습이나
레슨을 하지
근데 난 그런 잔잔한것 말고도
뛰어놀때가 많지
그러다 보니 계속 피멍이 드는 거야
그런데 다리 무릎에만 멍이 들어

떡볶이를 먹었다 맛있어다
강주원
아그리고 당 십은순대파 입니까.
순대

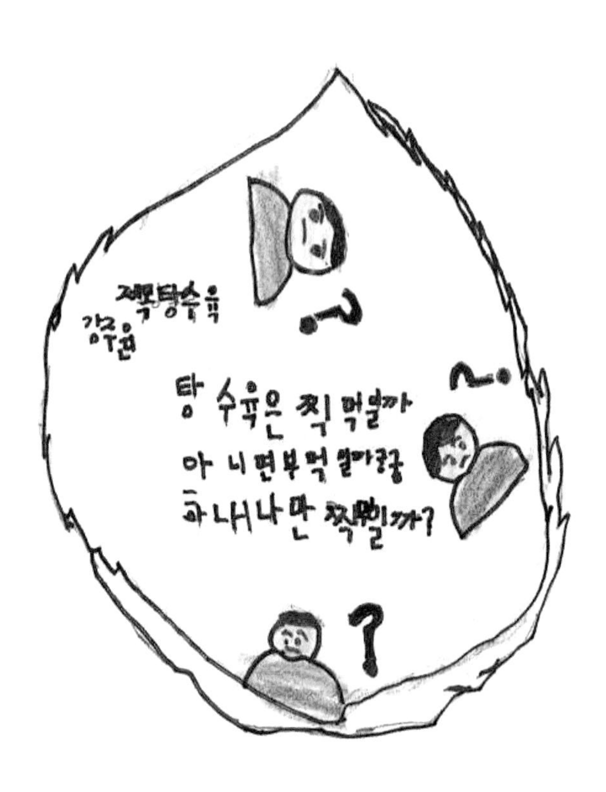

제목 탕수육
강주원
탕수육은 찍먹일까
아니면 부먹일까 궁금
하나 나만 찍먹일까?

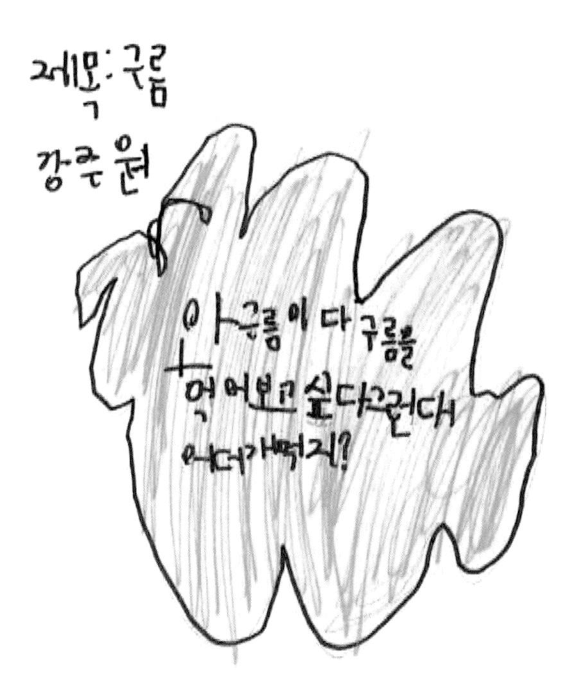
제목: 구름
강준원
와 구름이다 구름을
먹어보고 싶다그런대
어디가먹지?

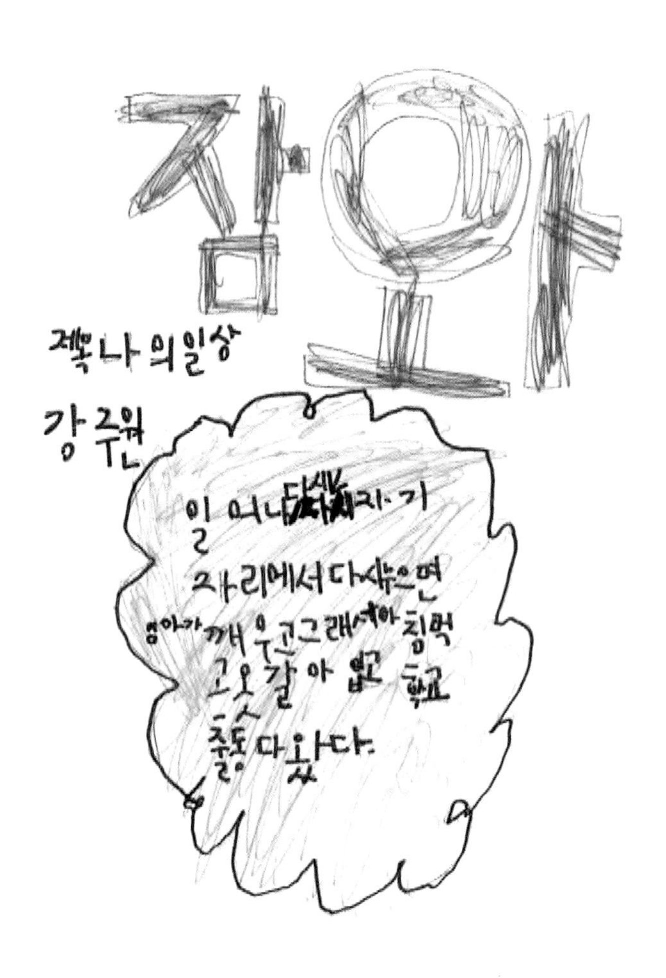
제목 나의일상
강주원
자리에서 다시누으면

윙 모기 소리 윙윙
잠을 잘라면 윙윙
불을 키면 사라지고 다시
불을 끄면 윙윙 아 진짜
그만 좀 자자 조난 나는
불을 키고 모기 스프레이를
칙칙 뿌리고 불을 끄고 자다.
다음 날 난 파리채와 물티슈
쇼로 모기를 잡아다.

제목 너구리

강유린

아는 형이랑 축구를 하였다.
근데 형이 배가 고프다며 편
이점에 갔고 너구리를 먹었다
맛있어 국물까지 싹 먹어다.

김건우 제목 아이스크림 사장님

아저씨는 배가 많이 아프시다 아이스크림 집에 가주 안오지만 오래간만에 와셨다 너무 좋았다

김건우 ;제목 아이스크림 아저씨

아이스크림 집 착 하시다 나 한테 아이스크림을
큰거주신다 너무 좋았다.

김건우 제목; 찐먹VS 분먹

우리집은 탕수육을 시키면 찐먹분먹 전쟁일어난다

우리형나 찐먹VS 분먹 아빠

과연 누가 이길까?

즐거운 급식시간

강나솔

김치
생선
떡볶이
내가 좋아하는 급식
냠냠 맛있겠다

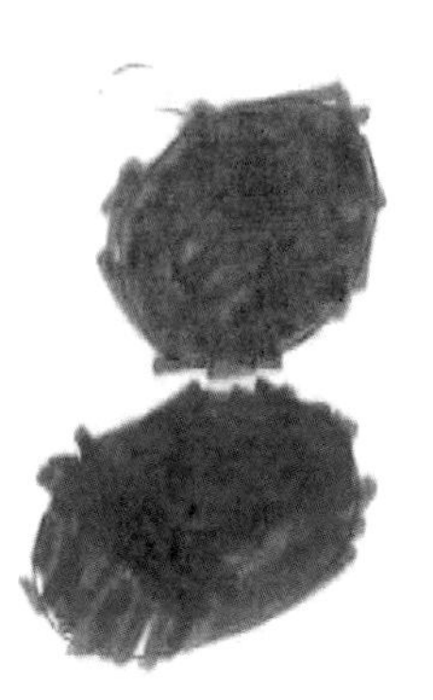

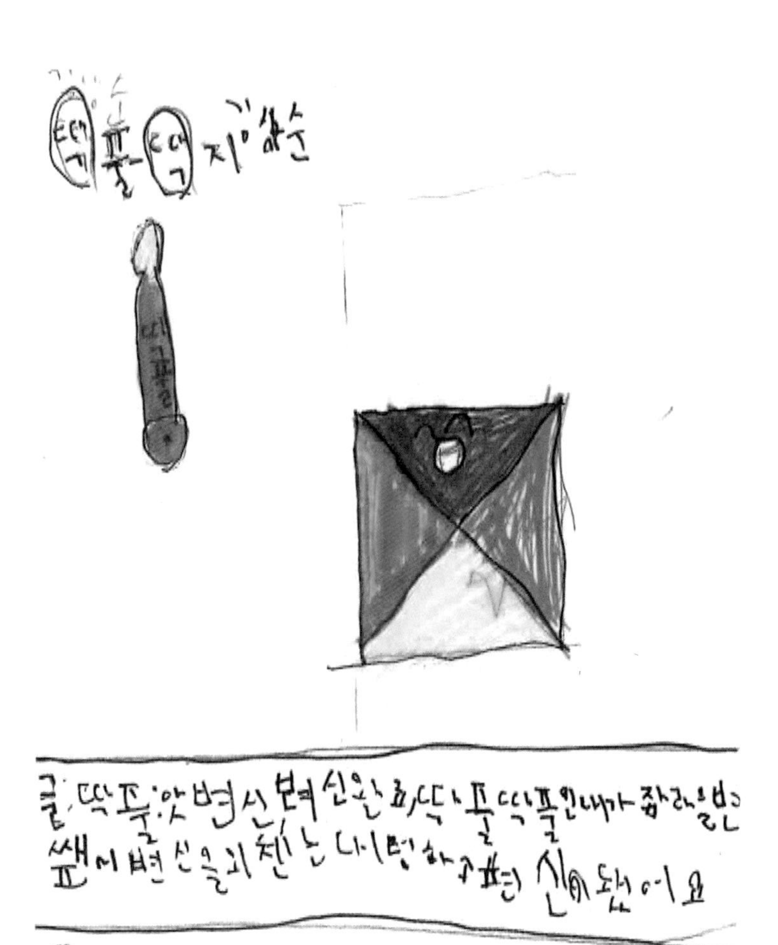

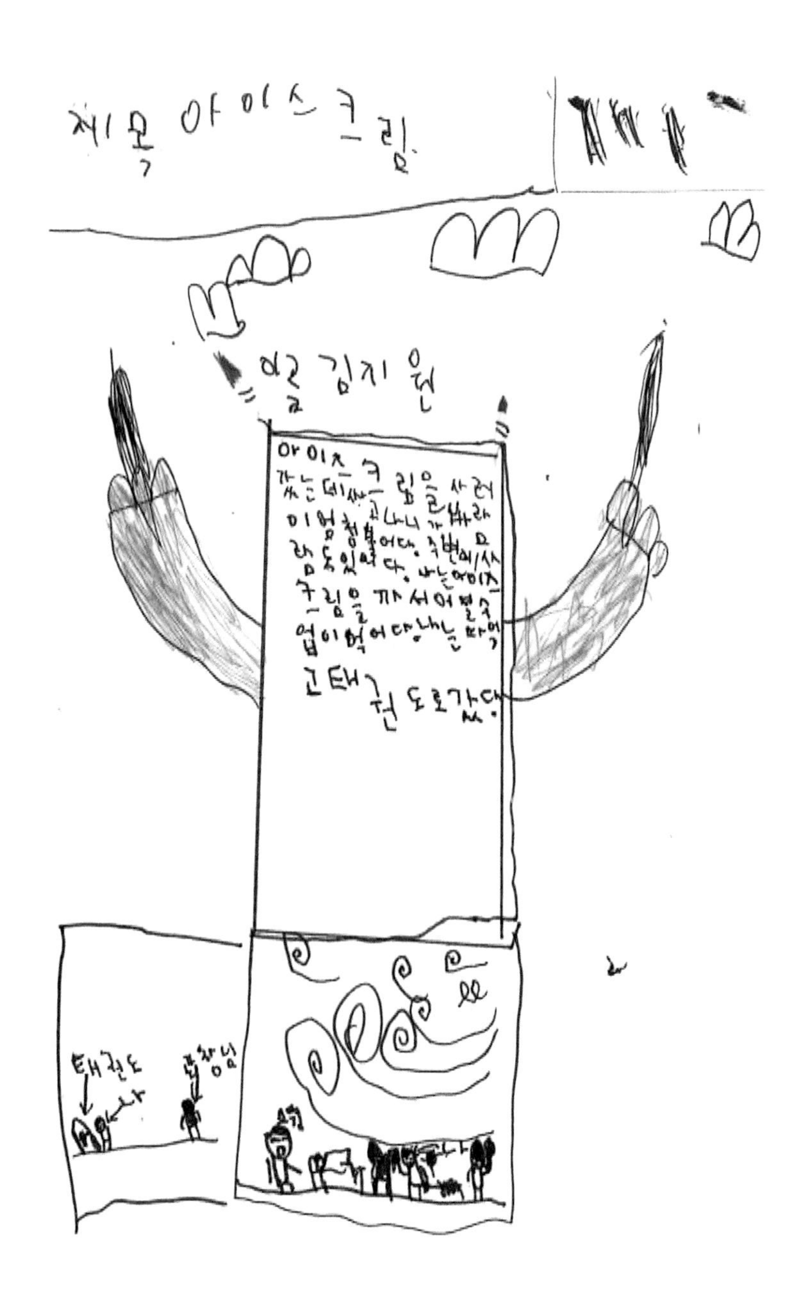
제목 아이스크림
이름 김지원
아이스
크림을 까서 어쩔 수
없이 먹어다. 나는
태권도로 갔다.
태권도
관장님
나

바나나는 바느질

미끌미끌한
바나나 껍질을
바느질로 균형 잡아서
텐트를 만들고 있어
캠핑장 갈 때 가져
갈 거야. 재미있겠다.

근데 말이야
바나나를 바느질해서
고정을 엄청
해야 해

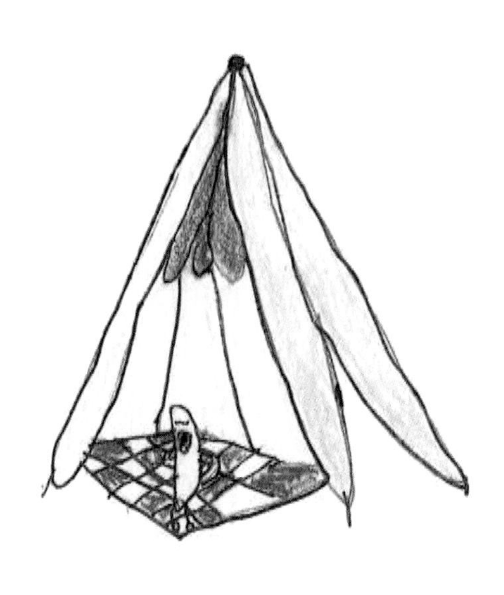

달 달걀을 만들자 디몽기

담요 달걀 프라이를 해
그리고 라면에 바나 넣어 먹어
그러면 맛있어 그런다 음 먹어!

팥빙수

빙수 한 개 주세요.

빙수는 호떡만 큰 빙수 주세요

빙수는 팥빙수 주세요

알았어 빙수를 호떡만큼

큰 팥빙수 해줄게

학교

박지후

난 어제 학교에서 만들
기를 했다 쓱쓱 드러 갈땐
재미있지만 만들어
가면 [illegible]난 다

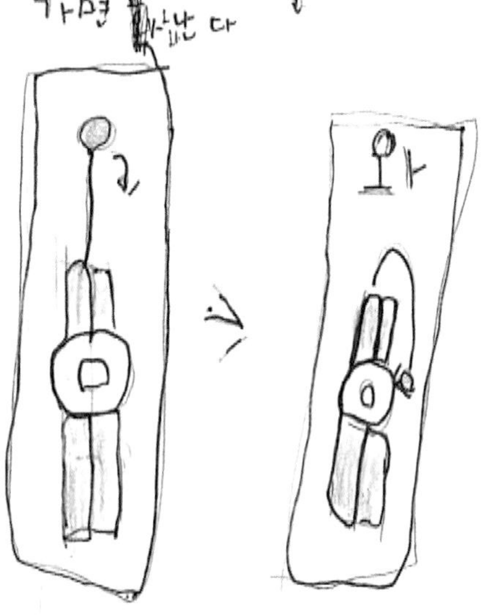

시집_ 시모음집 윤하민

① 다른_ 다리를 먼저 썼고

② 빨표_ 발표에시간

③ 박쥐 박물관— 박쥐 박사

④ 미술시간 — 미술

⑤ 사이다_사자

⑥ 시계_시간

이진 내가 지은 시다.

나의 시

나의 즐거운시

(윤하민) 선생님— 선생님(2-2반 착한 선생님)

우리반 선생님 항상 우리를 사랑해 주신다.

우리반 선생님 우리에 영웅이다.

우리반 선생님 항상 우리에게 공부를 많이 알려주시는 선생님이다.

우리반 선생님 항상 재미있고 행복을 주는 선생님이다.

시계_시간

윤하민

시계가 움직인다.
시계가 또각또각
시계가 하나 하나
시계에 초는 빠르게
시계에 분은 천천히
시계에 시는 더천천히
이게 시계에 하루다.

다른, 다리

기린에 다리는 홀쭉홀쭉
돼지에 다리는 통통
악어에다리는 울퉁불퉁 통통
새에 다리는 납짝납짝
모두에 다리는 다 다릅니다

발표_발표에 시간

발표에 시간 심장이 두근 두근

머리는 아무 생각이 없는것처럼 멍뚱 멍뚱

손은 땀이 주룩주룩

다리는 떨리며 덜덜

이는 떨린다 딱딱

발표는 긴장 된다.

박쥐 박물관_ 박쥐 박사

박쥐 박물관은 어둔어둔

안녕?

안녕?

안녕?

모든 곳에 울려퍼진다.

가방의소리_ 가방

가방에 지퍼소리 지지직 지지직

가방에 달린 키링에서리 달그락 달그락

가방이 책상에 부리치는소리 툭툭

가방은 다 달르다 근데 공통점도

있다 가방의 소리는 다 똑같은 소리가

날 수도 있다.

미술시간 — 미술

윤하민

오늘은 미술시간 나를 그린다
그림을 그리는 소리 뚝뚜두
붓으로색칠하는소리 쓱쓱
물로 씻는소리 슥수수

제목 : 도독

- 이바울 -

도독이 경찰서를 탈출했다.

도독이 도시를찾았다.

도독아도시에숨었다.

도독이 경찰한테들켰다.

도둑_도시_도시락

도둑이 열심히 도망 중...
도시 발견!
도시락 야금야금

서진 2-2

미꾸라지는 미끌미끌

미꾸라 지는 미끌미끌만지면
♥ 미끌미끌 해서 못잡게서ㅠㅠ

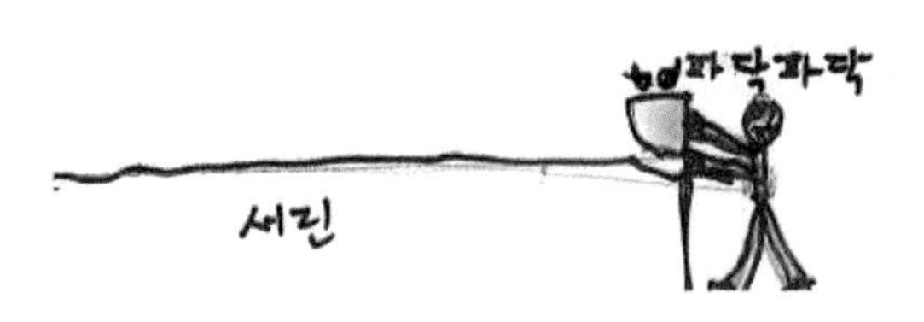

잔 소리 서진 2-2

나는 잔소리에 비빠져다
잘 대 잔소리 유튜브볼때
잔소리 제발 잔소리
흑흑흑
그 만!!

2-2 이서진

딱 감은 딱딱해요.서진

딱 감은 딱 딱 하고딱딱한게또
뭐가있지? 딱 딱한 건딱감
딱딱 한게또 뭐 가있지?

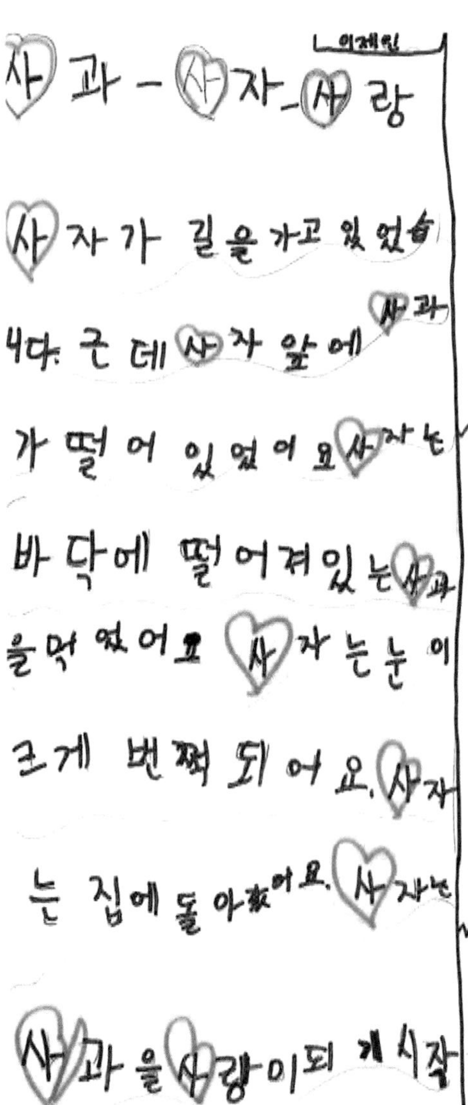

사과 - 사자 - 사랑

사자가 길을 가고 있었습
니다. 근데 사자 앞에 사과
가 떨어 있었어요 사자는
바닥에 떨어져있는 사과
을 먹었어요 사자는 눈이
크게 번쩍 되어요. 사자
는 집에 돌아왔어요. 사자는
사과을 사랑이되게 시작
되어요.

친구

-이제인-

친구♥ 나♥ 친구♥

오늘은 친구를만나러 할머니 집에
갔다. 할머니 집에서 한 3시간동
안 핸드폰을 했다. 한 4시에 친구
가 왔다 친구과 재미있게 놀았다.
더놀고 싶었지만 벌써 밤이되
다. 친구과 같이자고 싶었는데
각각 가족 이랑 자야 했다.

품

이름: 전하은

부모님 품은 언제나
따듯해. 엄마의
품도 따듯 하고
아빠의 품도 따
듯 하고 할머니의
품도 언제나 따듯해

꼬옥-

꼬옥-

꼬옥-

독도는 우리 땅

이름: 전하은

독도는 독도 경찰관
님이 있으셔서 행복해!
하지만 아직도 일본이
자기네 땅이라 우겨서
힘들고 슬퍼.
하지만!
독도는 우리가 있어서
있어서 이렇게 힘든걸
견딜수 있어!

독도는

우리

오리_오레오 윤건

내가 오레오를 먹을려고 할 때마다
오리가 다 먹는다. 또 오레오를 사면
뒤뚱뒤뚱 걸어와 빠르게 먹어버린다.
오레오를 힘으로 뺐으면 물어버린다.

윤건

제목: 나 서울 갔다.

나는 서울을 갔다. 제일먼저 버스를 탔다. 버스타고 서울 가는데 3시간20분이 걸렸다. 드디어 서울에 도착했다. 제일 먼저 고기를 먹으러 갔다. 근데 고기 1인분이 7만원이였다. 고기를 다 먹고 나서 브롤스타즈를 했다. 근데 거기서 스타드롭을 열었는데 메고가 나왔다. 너무 좋았다. 게임 다하고 펜션에서 하룻밤 잤다. 너무 재미있었다.

시

2학년 2반 최안 20번

양이

워터 파크

엄마가 이어폰도 사주고 캐리어도 사주고
핸드폰도 사주고
옷도 사주고 반지도 사주고
라티어오
마스크도 사주고 화장품도 사주고
그럽니다.

바나나 우정 최은유

속상한 바나 나는
혼자 집에서 살았다.
그런데 사과 5마리
가 바나나 집에
찾아왔다.
바나나는 깜짝 놀라 이불 속으로
숨었다. 하지마 사과 1마리
가 찾았다. 그래서 같이
놀자고 말했다 그래서
같이 놀았다.

제목: 떡볶이

연지원

매주 토요일마다 나는 떡볶이를 먹는다 왜냐하면 아빠가 떡볶이를 사오시기 때문이다. 그래서 나는 떡볶이를 사오는 아빠를 반갑게 인사한다. 나는 그래서 떡볶이를 맛있게 먹는다.

벌

현지원

벌은 참 소중하다 왜냐하면 벌이
없으면 꽃이 다 시들고 우리가 좋아하
는 꿀도 못 먹는다 그래서 벌을 소
중하게 여겨야 한다.

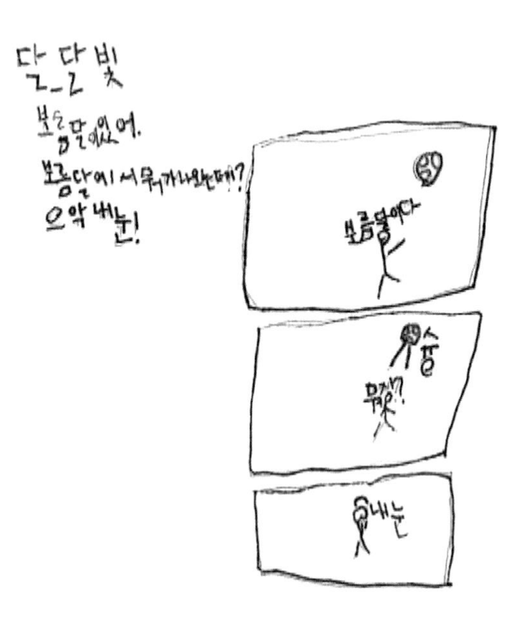

달달빛
보름달이 있어.
보름달에서 뭐가 나왔는데?
으악 내 눈!
보름달이다
슝
뭐지?
내 눈

제목 – 그림자 – 그림

박서연

저녁이 되었 습니다.

오이는 그림을 그리기로 했 습니다. 오이가 뭘 그리자 밖을 보았습니다. 밖에 마침 그림자 가 있었습니다 오이는 그림자를 그 리기 위해서 밖으로 나갔습니다. 오이는 그네 그림자를 그리기 로 결정했습니다. 그때 마침 오이 가 진짜 그네가 타고 싶었습 니다.

제3부

겨울은 참 좋은 계절이에요

눈

-강예현-

눈이 펑펑 내리고
눈이 소복소복 쌓인다.
눈을 밟으면 푸드득푸드득
소리가 나는데 난 밤에
와서 언제 눈이
왔는지 모르겠다.
지금은 겨울

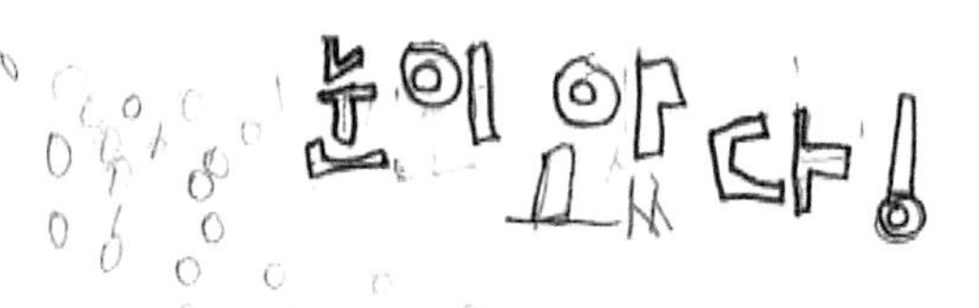

엄마랑 나랑 고양이 다솔이 여름이 2명 같이 산책을 나갔다 근데 밖에 나와 보니 눈이 오고 있었다. 눈이 오니까 기분이 좋아 졌다 눈을 밟아 보니 뽀드득 소리가 났다. 한번 눈 맛을 봤다. 너무너무 차갑다

눈

김나율

와~ 눈이다
하얀 눈이 펑펑 온다
뽀득 뽀득 [illegible] 눈을
밟으니 기분이 좋아

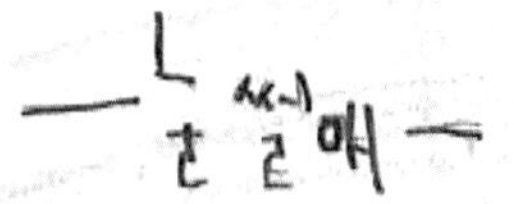

-김상술-

눈이 조금 조금 눈이 내릴 대 눈은 왕창 이 싸였다
엄마는 아빠랑 눈싸움을 했고 형은
날 눈썰매로 빠르게 빠르게 태워 좋다

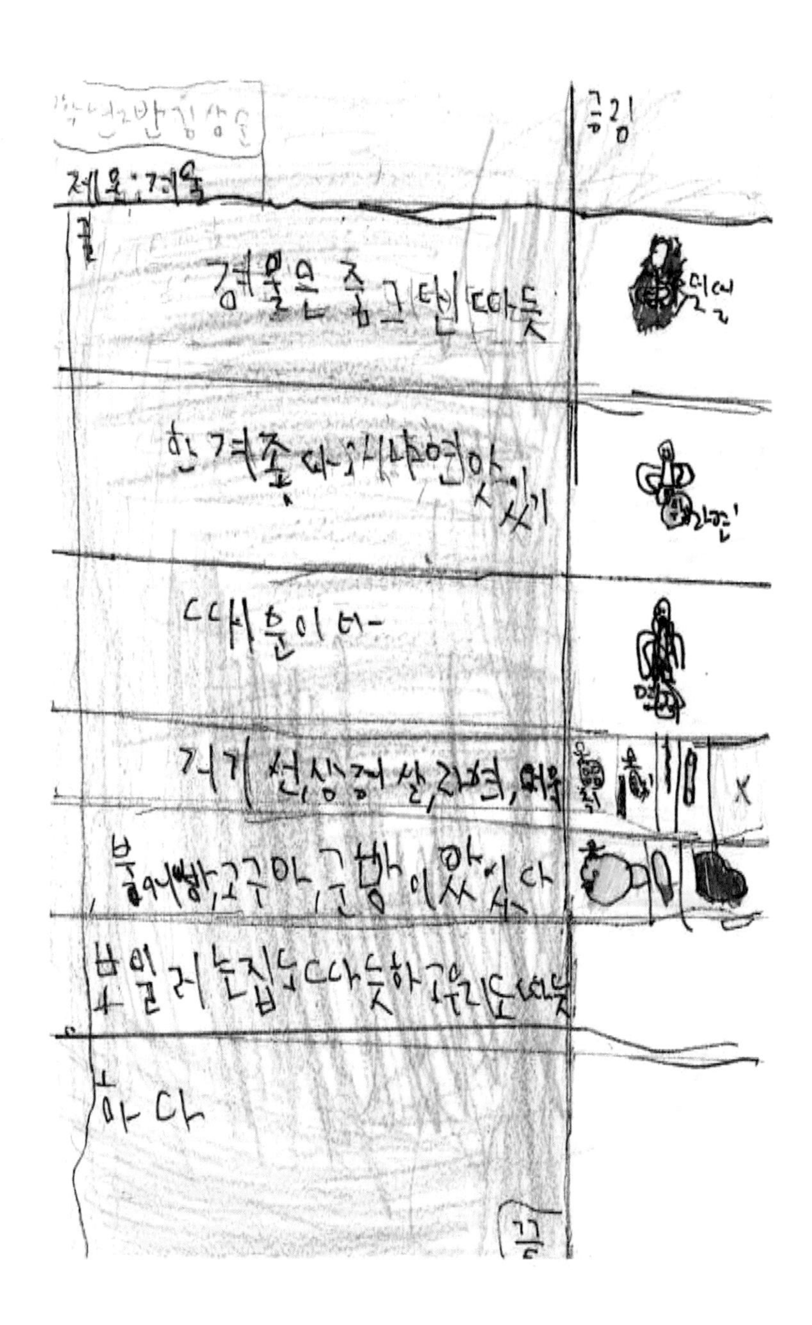

저녁 눈 사람
눈 사람이 이다,
눈 사람은 오늘비
있은 면 녹는다
눈 사람이 아주
아은 병 걸게다

붕어빵

김하선

나는 붕어빵을 먹었다.
앗! 뜨거워! 호호 불어 먹어
야지. 아빠는 팥 붕어빵
을 좋아하신다. 나는 슈크
림을 먹었다. 너무 맛있
었다.

겨울좋아 민올기

겨울좋아 왜냐하면,
눈사람 만들수 있어 그리고
눈사움을 할 수 있어서 좋아.
그대신 수영장 못 가!
그리고 너무 추워!

크리스마스
크리스마스가 찾아왔다
눈 펑펑 내린다 크리스마스가
좋다 크리스마스가 매일
왔으면 좋겠다.

눈

박지후

학교 올 데 눈을발브
면 푸두덕 푸드덕
눈싸움하면 퍽퍽

눈

윤하민

눈이 펑펑 눈이 사르륵 녹다
발이 속속 손은 얼얼
또 다시 눈이 펑펑 눈이사르르륵
발이 쏙쏙 손은 꽝꽝
이는 딱 딱

트리

윤하민

초록 초록

반짝반짝
뾰족뾰족
둥글둥글

예쁜 트리
차곡차곡 쌓인
선물
밖은 눈이 펑펑

겨울 -이바울-

겨울이다.

너무 취워

너무취워서
이빨이 와글와글
거린다. 그래도

겨울 방학이 있은
니까.

제목 : 눈사람 -이바울-

겨울이다

눈사람
최고
눈사람
만들어
야지
이러게
뭉처서

이서진 2-2
눈사람
눈사람이 힘들줄은
물랐다 동그락게만 들고
너무 힘들어 살려줘!!
힘든하루였다.

눈사람
-이제연-
솔솔 눈이 내리다.
바깥에는 눈이 뭉실뭉실
쌓연있다. 나는 친구과
둥그 둥그한 눈사람
을 만들었다. 눈사람
을 만들고만들고 했
다.
눈사람 은커다 정!
예쁘게 예쁘게

겨울은 너무 추워

아침에 추워어
편이점에 하팩을
사고 나왔다.
근데 사고 나왔더니
더, 추워졌다. 그래서
난 집에 빨리 뛰어 갔
다. 집에 도착 해서
하 팩을 만졌다.
이제야 너무 따듯
했다.

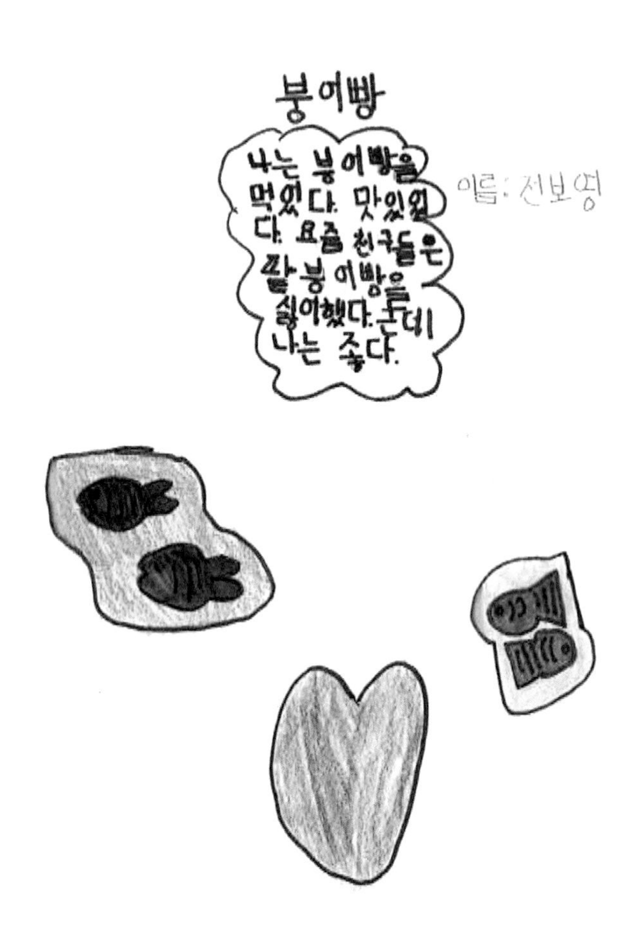
붕어빵
나는 붕어빵을 먹었다. 맛있었다. 요즘 친구들은 팥붕어빵을 싫어했다. 근데 나는 좋다.
이름: 전보영

트리
전보영
초록 초록
반짝 반짝
알록 달록
뾰족 뾰족
예쁜 트리
차곡 차곡
쌓인 눈

핫 팩은_핫! 뜨거워

이름 : 전하은

겨울이 왔다.
그래서, 편의점에서
핫 팩을 샀다.
핫 팩을 계속 계속
또계 속ㄱㄱㄱ
흔들었더니
핫 뜨거!

얼얼

겨울이 다가오는 바람

이름: 전하은

겨울 바람이
슈웅~~
아이 패딩, 장갑,
목도리를 해도
아이 추워!

눈사람은 눈으로
이름: 전하은
한 겨울에 눈이
펑펑
팝콘 처럼
펑펑
이걸 눈사람
을 만들자!

겨울

이름: 전하은

겨울은 준비 해야 할게 많다. 목도리, 장갑, 모자 등등 있다. 하지만 난 겨울이 좋다!

핫팩

크리스마스
이름: 장하은
크리스마스는 눈이 펑펑
내린다.
그땐 눈싸움, 눈사람도
만들수 있에서
좋다. 선물
도 기대가
두근두근 된다!

조윤건

제목: 눈사람

눈사람을 만들때 제일 먼저
눈으로 우인걸 만들고
또 눈을 올리면 푸드덕 그우이에! 소리가
나지 그리고 그 주변에서
나뭇가지를 찾아 그리고 팔로 만들어
그리고 눈, 코, 입도 만들면 눈사람
완성이야

윤건

제목 : 호빵, 붕어빵

지금 계절은 겨울이다 그레서 너무 추웠다 길을 가면서 호빵집이랑 붕어빵 집이 있었다 뭘 먹을지 고민됐다 딱 마침 내 주머니에 3,000원이 있었다 나는 집에가서 엄마 한테 용돈 3000원을 받아서 그냥 둘다 사먹었다

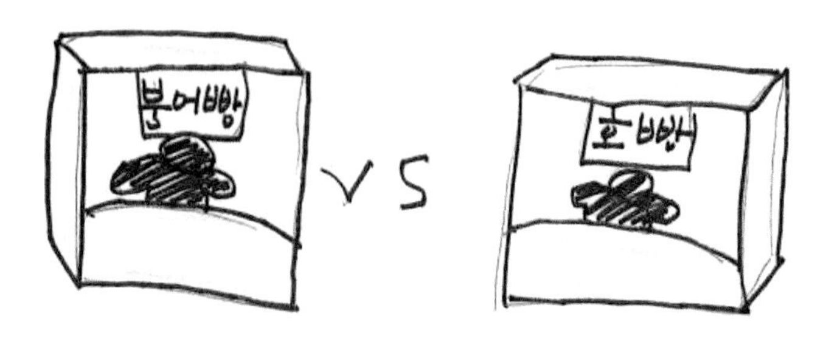

제목
붕어빵
겨울에 너무
추워서 붕어빵
먹어야지
뭐야! 잉어빵
박게 없잖아
붕어빵
흑흑
차시현
어추워
그래도
잉어빵이라도 먹어야지
눈

주제! 눈사람
겨울이당
눈사람
최고
눈사람
만들어
야지
이렇게
뭉치고
저렇게
뭉치고
이름표
눈사람

이름: 차시헌

눈 오는날

최임

눈에온다 눈이 뽕뽕온다 그래서 싸여있다

그래서 엄마 아빠언니 랑 가되 눈싸움을 했다.

언니도 나를 때려다 나도 언니를

때려다 아빠도 나를 때려다 엄마도 나를때

려고 근데 아빠가 나를때 려서

입에 드어 갔다 그래서 언니 엄마아빠나를

깔깔 우서다.

붕어빵 양이

붕어빵은 마씩고 말랑 말랑 하고
마시 있습니다. 아내는 밭 맛이고
마시진짜 마씨 습니다.
밭맛이고 재미 있습니다.

붕어빵
겨울에눈이 펑펑내리고
시장은 문을다닫았다.
그래서 엄마가 붕어빵
을사줬다.
난그게너무 좋았다.
난붕어빵을
호호불어먹었다.
맛있었다.
너무맛있어서
테비보면서
먹었다.
그다음도
붕어빵
또또또...붕어빵
언제 먹어도맛
있다.

눈사람

최은유

눈이 펑펑내리는 날에 난
감기에 걸렸다. 근데
다른애들은
박에 나가서 놀았 다. 근
대 한 아이가 눈사람을
톡톡 만들고다 집으로 갔다.
난 몰래 밖에 나가
서눈사람을 봤다. 그리고목도
리를매가 지고 눈사람에따
목도리를매 줬다.

저울이 왔어요
어느 날 눈이 엄청 많이
내려서요 우리는 좋았
어요 눈싸움을 했죠
겨울에는 눈사람을 만들고
놀이가 많아죠 겨울
때는 떡이랑
붕어빵을 먹는 것
참 좋은 계절이에요

고구마 할머니

할머니 고구마 주세요 피도윤

왜기습니다 감사합니다
아 뜨거워 안 돼 고구마가
안도서 아유 자 고구마 아야 이러에요
할머니 아유 반하가 아 감사합니다
할머니 근데 왜 고구마를 주세요?
아 그건 우리 아들도 그래서 니가 우리 아들 같아서 주는 거야

눈싸움

홍지원

눈덩이를 만들어 친구에게 던지자 휙휙
휙휙 다른 눈덩이를 만들어 친구에게 던지자
퍽퍽퍽퍽

겨울

박서연

곧 겨울이다.
겨울이 오면 간식이 많아
진다. 고구마, 어묵, 붕
어빵, 호떡 등 간식이 많아
진다. 난 겨울이 제일 좋
다 눈이 소복 소복 쌓이
는 게 제일 좋다. 그리
고 겨울에는 크리스
마스가 있다

눈
박서연
눈 이 왔다.
눈이 소복소 복 쌓인다.
눈이 하늘에 서 펑 펑
해 가뜨면눈이 사르르
녹는다. 눈 아 잘가

우리들의 이야기

난 시 쓰고 그림 그리기가 좋다. 난 또 친구들이 좋다.

〈강다온 작가〉

처음 시를 쓸 때 지루했다. 근데 시를 하나씩 쓰다보니 점점 지루한 게 사라졌다. 근데 이상하게 더 재미있어졌다.

〈김라율 작가〉

얘들아, 우리 나중에 못봐서 슬퍼 ㅠㅠ 근데 우리 나중에 못봐서 슬프니까 내가 앞으로 잘해줄게.

〈김준수 작가〉

시집을 하니까 좋았고 재밌었다. 얘들아 사랑해 ♡

〈나서윤 작가〉

얘들아, 너희들과 추억이 많이 쌓였는데 이제 곧 2학년이잖아. 난 너희들이랑 추억들이 제일 재밌었어. 같이 놀 때 세상에서 제일 좋았어.

〈문현선 작가〉

얘들아, 그동안 재미있었어.

〈박건우 작가〉

우리 반 시 쓰는 날에 시를 썼다. 모두 시를 썼는데, 시를 쓴 것은 다 달라서 참 신기했다.

〈박정아 작가〉

2학년 때 같은 반이 되면 좋을 것 같다.

〈송유주 작가〉

친구들한테 시를 쓰는 게 재밌었다. 시를 쓰는 게 좋았다. 얘들아 그동안 같이 놀아줘서 고마워. 2학년 때도 같은 반이 되면 또 친하게 지내자.

〈이서진 작가〉

시가 어려웠지만 재미있었다. 우리 2학년 때도 친하게 지내자.

〈임우빈 작가〉

나는 너희들이 더 보고 싶지만 벌써 1학년이 지나고 2학년이 되니까, 헤어지니까 친구들을 못 만나. 2학년 같은 반이 되면 나는 그 친구와 같이 놀래. 사랑해 ♡

〈임지우 작가〉

얘들아 2학년이 되어도 또 같은 반이 되면 우리 또 시를 쓰자. 같은 반이 안 되도 친하게 지내자.

〈정윤 작가〉

처음엔 시가 어렵고 힘들었는데 지금은 안 어렵고 안 힘들어서 시를 계속 쓰고 싶다.

〈조현서 작가〉

내년에도 시집을 만들어 좋은 추억을 만들면 좋겠습니다. 친구들이랑 같이 쓰니까 좋았습니다. 사랑합니다.

〈최한별 작가〉

시를 쓰는 데 귀찮았지만 친구들이랑 열심히 하는 게 너무 좋았고 뿌듯했다.

〈최현 작가〉

우리들의 이야기

시를 쓸 때, 손이 아팠지만, 이게 책으로 만들어져서 기쁩니다.

〈강예원 작가〉

시를 쓰는데 힘들었지만, 재미있고 참여해서 즐거웠습니다.

〈강주원 작가〉

처음엔 시를 어떻게 써야 하는지 몰랐는데 이젠 알게 되어 기분이 좋습니다.

〈김건우 작가〉

시를 쓰는 즐거움을 느꼈습니다.

〈김나율 작가〉

시를 쓰는 시간이 뿌듯하고 행복합니다,

〈김상순 작가〉

시를 배우면서 이렇게 짧은 글이 있음을 처음 알았고, 시를 처음에 어떻게 쓰는지 몰랐는데, 시를 배우고 쓰면서 기분이 좋고 뿌듯함을 느꼈습니다.

〈김지원 작가〉

시에 많은 정성이 들어간다는 것을 느끼고 이번 시집이 더욱 소중하게 느껴집니다.

〈김하선 작가〉

시 쓰기가 힘들었는데 이제는 안 힘들고 재미있습니다,

〈민웅기 작가〉

저렇게 짧은 시도 많은 노력이 필요하다는 것을 깨달았습니다.

〈박지후 작가〉

시를 쓸 때, 구상하고 쓰는 과정이 어렵고 힘들었습니다. 하지만, 그 과정에서 행복하고 즐겁고 뿌듯함을 많이 느꼈습니다.

〈윤하민 작가〉

시 쓰는 시간이 정말 재미있었고 앞으로 시를 많이 쓰고 싶습니다.

〈이바울 작가〉

시를 쓰는 게 이렇게 재미있는지 그동안 몰랐습니다.

〈이서진 작가〉

제가 쓴 시가 시집에 나와서 많이 떨리고, 많은 사람들이 이 시집을 보면서 행복하기 바랍니다.

〈이제인 작가〉

시를 쓸 때, 재미있고 즐거웠습니다.

〈전보영 작가〉

시를 쓰면서 정말 뿌듯했고, 사람들이 이 시집을 읽고 즐거워했으면 합니다.

〈전하은 작가〉

시 쓰는 게 이렇게 어려울지 몰랐지만, 시집에 내가 쓴 시가 들어가니 기쁩니다.

〈조윤건 작가〉

우리가 읽는 시집의 탄생이 이렇게 어려울지 몰랐습니다.

〈차시헌 작가〉

처음 시를 쓸 때는 어려웠지만, 이제는 재미있습니다.

〈최 양 작가〉

시를 쓰는데 시가니 오래 걸렸지만, 그래도 재미있었고 행복합니다.

〈최은유 작가〉

처음에는 잘 못해서 하기 싫었는데 이제는 자신감이 생겨서 재미있습니다.

〈피도윤 작가〉

직접 쓴 시가 책으로 나와서 행복합니다.

〈현지원 작가〉

제가 쓴 시가 책으로 나와서 행복하고 뿌듯합니다,

〈박서연 작가〉

작가 찾기

엮은이 후기

우리들은 새싹들이다

'마음을 열어 하늘을 보라. 넓고 높고 푸른 하늘

가슴을 펴고 소리쳐보자. 우리들은 새싹들이다.'

우리 1학년 아이들을 생각하면 떠오르는 동요입니다. 아이들과 함께 한 해를 보내며, 우리 아이들은 투명한 물보다 맑고, 바람처럼 자유로운 영혼을 가졌다는 것을 느낄 수 있었습니다. 그런 아이들이 쓴 시에서 묻어 나오는 천진함을 누가 감히 흉내 낼 수 있을까요.

초등학교에 입학하고 한글 공부부터 시작했습니다. 기역, 니은, 디귿, ……. 아, 야, 어, 여, ……. 꽤 긴 시간 동안 한글 공부에 여념이 없었습니다. 이제 아이들이 자신의 생각과 마음속 이야기를 표현할 수 있게 되었습니다. 완벽한 맞춤법으로 적어내는 이야기는 아니지만, 그래서 어쩌면 더 사랑스러운 것인지도 모르겠습니다.

처음 아이들과 시를 쓰려고 할 때, 1학년 아이들이 과연 할 수 있을지 자꾸만 되묻게 되었습니다. 행과 연으로 써 내려가는 시, 내용에 어울리는 제목을 고르기까지 어려운 설명이었을 텐데도 시를 쓰는 시간들에 즐겁게 참여한 우리 아이들이 기특

하고 대견합니다. 아이들과 함께하는 다른 어떤 수업들과 마찬가지로 시 수업을 하고 나서 가장 보람찬 순간은 역시 아이들에게서 '선생님, 시 쓰는 거 또 해요!'라는 말을 듣는 때입니다.

「뿌리 내리는 아이들」시집은 2023학년도 군산산북초등학교 1학년 3반 아이들과 2학년 2반 아이들의 숨결이 살아있는 시를 모았습니다. 이 시집은 새싹 같은 우리 아이들이 자신의 생각과 마음을 표현하는 것을 배우고 또, 경험한 결과물입니다. 함께 시를 쓰는 순간순간이 아이들에게는 상상력과 표현력이 깊이 뿌리 내리는 소중한 시간이었기를 바랍니다.

이제 아이들이라고 부르기보다 어린이 작가라고 표현해야겠습니다. 어린이 작가인, 어린이 작가였던, 어린이 작가가 될 여러분에게도 이 시집을 읽는 시간이 귀중한 시간으로 남기를 소망합니다.

2023년 12월

아이들을 사랑하고, 동시를 사랑하는

교사 장지연

닫는 글

큰일 날뻔했다.

하마터면 큰일 날뻔했습니다.

「뿌리내리는 아이들」에는 우리 학교 1,2학년 어린이 작가님들의 입말과 재치가 살아있는 시를 모아 엮은 시집입니다. 그동안 담고 싶었지만, 1학년이라 차마 글을 쓰라고 하기가, 시를 쓰라고 하기가 주저되었던 부끄러운 제 모습이 떠오릅니다. 벌써 학교생활 1,2년 했다고 학교가 좋다고 친구가 좋다고, 선생님이 좋다고 외치는 아이들입니다. 하마터면 이 좋은 시들이 그냥 사라질 뻔했습니다. 우리 장지연 선생님과 신성원 선생님의 사랑과 수고 덕분에 이 생생한 시들이 빛을 보게 되어 너무 기쁩니다. 여덟 살, 아홉 살 인생에서도 값진 출판의 경험을 할 수 있게 애써주신 두 선생님께 무한히 감사드립니다.

작은 귤 하나가 시가 되고, 붕어빵이 시가 됩니다.

오히려 시를 어려워하는 것은 우리 어른들입니다. 형식과 고정관념에 매여있지 않은 어린이 작가들은 하고 싶은 이야기를 다 담아냅니다. 이 작은 것들에 사랑 가득 담아냅니다. 이제 이 작가님들은 사소하고 작은 것 하나도 허투루 보지 않고 자세히 볼 것이며 생각할 것입니다.

엇그제 개그맨 양세형씨가 시집을 발간했다는 뉴스를 보았습니다. 어려서부터 놀이처럼 혼자 시를 쓰는 것을 좋아했다고 합니다. 우리 어린이 작가들도 이렇게 시 쓰는 것이 놀이처럼 즐거웠으면 좋겠습니다. "도자기-기분"처럼 말놀이가 시가 되어도 너무 훌륭합니다. 우리 어린이 작가님들이 형식과 평가에 얽매이지 않고, 자유로운 시인으로 무럭무럭 자라나기를 간절히 소망합니다.
그리고 진심으로 발간을 축하드립니다.

2023년 겨울
어린이 작가님들의 1호 팬
수석교사 이 창 미